DIM ACTIO'N Y GEGIN!

Dim Actio'n y Gegin!

Siân Lewis

Lluniau gan
Chris Glynn

Gomer

Argraffiad cyntaf – 2002
Ail argraffiad – 2005

ISBN 1 84323 156 5

Cyhoeddwyd dan gynllun comisiynu
Cyngor Llyfrau Cymru.

Dymuna'r cyhoeddwyr gydnabod cymorth
Adrannau Cyngor Llyfrau Cymru.

Argraffwyd gan
Wasg Gomer, Llandysul, Ceredigion SA44 4JL

Roedd hi'n fore dydd Iau yn Ysgol Pwllmawn
A phawb wrthi'n gweithio yn galed iawn, iawn.

Roedd pob plentyn yn rhifo a thynnu i ffwrdd
A Miss Gwen Preis yn marcio eu gwaith wrth
y bwrdd,

Pan ddaeth cnoc ar y drws a galwodd Miss Preis, 'Helô! Dewch i mewn.' Wel, dyna syrpreis!

Pwy gamodd i'r dosbarth a sefyll o'u blaen
Ond actor o'r enw Llywelyn Myn-Brain.

‘Llywelyn yw’r enw, ond galwch fi’n Llew,’
Meddai’r actor gan dynnu ei fysedd drwy’i flew.

‘Dwi wedi dod yma i roi gwersi i chi.
Pwy sy am ddysgu actio?’ ‘Fi!’ ‘Fi!’ ‘Fi!’ ‘Fi!’
Meddai’r plant a’u hwynebau yn binc
Gan daflu eu llyfrau i’w desgiau mewn chwinc.

‘Da iawn,’ meddai Llew. ‘Dyna lwcus ych chi
I gael gwersi gan actor byd-enwog fel fi.’

‘Actor byd-enwog?’ gwichiodd Caryl yn syn. ‘Dwi erioed wedi’i weld e.’ ‘Na fi,’ snwffiodd Bryn.

‘Ydych siŵr,’ meddai’r actor gan wenu yn llon.
‘Dwi ar y teledu bob diwrnod bron.

Fe gymerais i ran yn ffilm Ali Baba
A aeth ar ei gamel dros dywod Arabia.'

‘Ai chi actiodd Ali, Mistar Llew?’ meddai Arwel.

‘O na,’ meddai’r actor. ‘Fi oedd y camel.’

Hanner-caeodd ei lygaid ac edrych yn sur.
Chwythodd drwy'i drwyn a gwneud gwddw hir.

‘Ie, chi oedd y camel!’ gwaeddodd Huw dros y lle. ‘Dwi’n eich ’nabod chi nawr!’ Bloeddiodd pawb ‘Hwrê!’

Roedd e'n gamel mor wych, bu bron iawn i Cen Godi o'i ddesg a rhoi naid ar ei gefn.

‘Na paid!’ sgrechiodd Nina gan frathu ei bys
A dywedodd Llywelyn ar dipyn o frys,

‘A wylioch chi’r hen Twm Siôn Cati dro’n ôl
Yn mynd ar ei geffyl dros fryn a thros ddôl?’

‘Ai chi actiodd Twm?’ galwodd Brian yn hy.

‘Na-ha-ha!’ meddai’r actor. ‘Y ceffyl o’n i.

Ac a welsoch chi'r Tri Mochyn Bach ar y sgrin?'
'P'un oeddech chi?' meddai Iago. 'Pob un,'
Meddai'r actor gan ddangos ei ddant.
'A fi oedd y blaidd hefyd.' 'Waw!' meddai'r plant.

Chwarddodd Llywelyn yn llon ac yn iach.
'Actor anifeiliaid ydw i, blantos bach,

Ac os ydych am actio anifail, fel fi,
Mae'n rhaid i chi weithio tan ymhell wedi tri,

Gweithio yn galed drwy'r bore a'r pnawn.
Ydych chi'n fodlon? Ydych. Da iawn!'

‘A finne hefyd,’ medd Miss Preis yn swil.
‘Dw inne am actio.’ ‘Oooo!’ meddai Bil.
‘Athrawes yn actio, dyna beth braf!’
‘Tair hwrê i Miss Preis!’ galwodd Elin Haf.

‘Nawr,’ meddai Llew, ‘dwi’n barod i ddechrau.
Pob un yn gwrando? Moelwch eich clustiau.

Cyn actio anifail mae'n rhaid ei astudio
I weld sut mae symud, a sut mae e'n teimlo.

Er enghraifft, os ydych chi am actio cath,
Llew, piwma neu deigr o unrhyw fath,
Rhaid dysgu sut i neidio a chrafu eich chwain
A llyfu eich blew,' medd Llywelyn Myn-Brain.

‘Ac os ydych chi am actio pengwin yn dda,
Rhaid ymestyn eich gwddw wrth fynd dros yr iâ.

Symudwch yn fân ac yn fuan iawn
Gan godi'ch adenydd, blant Ysgol Pwllmawn.'

Roedd y plant wrth eu boddau. 'Mistar Llew,'
medden nhw,
'Gawn ni actio pob anifail sy'n byw yn y sw?'

‘Cewch siŵr,’ meddai’r actor, ‘os gweithiwch chi’n galed.
Ydych chi’n fodlon?’ ‘Ydyn,’ medd Aled.

Drwy'r bore bu'r plant yn actio ac actio
A phan ddaeth amser cinio, doedd neb eisiau stopio.

Yn y gegin yn brysur yn paratoi'r bwyd
Roedd Mrs Bet Huws a'i ffrind, Marlîn Llwyd.

‘Ble mae’r plant?’ meddai Bet gan sychu ei llaw.
‘Maen nhw’n hwyr.’ Ac yna fe sgrechiodd mewn braw!

Roedd y drws wedi agor, a thrwyddo ar ras
Daeth haid o anifeiliaid, rhai annwyl, rhai cas,

Rhai mawr a rhai bach o bob lliw a llun.
'O, mam fach! Dyma helynt!' llefodd Marlîn.

‘Mae’r plant wedi troi’n anifeiliaid go iawn.
Fe ddifethan nhw’r gegin! Bet fach, be wnawn . . .
AAAAAA!’ Disgynnodd Marlîn ar ei phen yn y pys
’Rôl i’r asyn ei chicio. (Yr asyn oedd Rhys.)

Sgubodd Bet Huws y pys ’nôl i’r tun
A syllodd y ddwy ar y plantos yn syn.

‘Parot yw Efa,’ medd Beti, ‘mae’n rhaid.
Mae’n cydio’n ei sosej â bysedd ei thraed.

A chrwban yw Jac. Wel, dyna beth hynod!
Mae’n claddu yr wyau i gyd yn y tywod.’

‘Hipo yw Seimon,’ medd Marlîn. ‘O’r nefi!
Edrych, Bet fach! Mae e’n rholio’n y grefi!

A broga yw Bethan. Wrth neidio i’r sinc
Fe ddaliodd hi bryfyn â’i thafod hir pinc.’

‘Bochdew yw Darren,’ medd Bet Huws yn groch.
‘Mae’n cadw pob tamaid o fwyd yn ei foch!’

‘Aw! Cer i ffwrdd!’ gwaeddodd Marlîn mewn sioc
Pan frathwyd ei choesau gan Megan y croc.

Aeth Bet i nôl brws a gwaeddodd 'Wishgit!
Dwi wedi cael digon. Dwi bron â chael ffit
Wrth weld y fath sioe yn ein cegin lân ni.
Dim actio'n y gegin! 'Nôl i'r dosbarth â chi!

Shw! Ewch i ffwrdd! Marlîn, cydia'n y mop.
Fyddwn ni'n dwy fawr o dro yn rhoi stop
Ar eu dwli.' Gan ruo yn uchel a chas
Fe yrron nhw'r plant 'nôl i'w dosbarth ar ras.

Ac yno bu'r plant am weddill y pnawn
Yn cael gwersi gan Llew a mwynhau yn fawr iawn.

Ond ble oedd Miss Gwen Preis yng nghanol y sbri?

Yn clwydo ar gwpwrdd. Tylluan oedd hi.

Ac fel pob tylluan a fu ac a fydd
Roedd hi'n effro drwy'r nos . . .
ac yn cysgu drwy'r dydd.

Pan aeth y plant adre gan sibrwd 'Hwyl fawr!'
Roedd Miss Preis wedi cysgu am dros bedair awr.

A phan ddeffrodd o'r diwedd am chwarter i saith,
Meddai hi, 'Dyna ddiwrnod arbennig o waith!

Dwi ddim wedi blino. Dwi'n teimlo mor sionc!'
A draw â hi'n syth at y ffôn gyda sbonc.

‘Llew Myn-Brain!’ meddai’n llon. ‘Dewch ’nôl, da chi!
Dewch ’nôl i roi gwersi i’n plantos bach ni.

Dewch bum diwrnod yr wythnos, neu bedwar,
tri, dau.'
'Alla i ddim,' meddai Llew. 'Ond fe ddof bob
dydd Iau.'

Am newyddion ardderchog! Roedd pawb yn gytûn,

Pawb yn Ysgol Pwllmawn – ond Bet Huws a Marlîn.
'Dim actio'n y gegin!' meddai'r ddwy wrth y plant.
'Dim bwyd i anifail. Mae hynny'n ben-dant!'

Felly, os ewch chi i Ysgol Pwllmawn ar ddydd Iau,
Mae'r actio yn wych – ond mae'r gegin ar gau.

CADWCH LYGAD ALLAN
AM FWY O LYFRAU

Roedd Nia wedi cael llond bola yn yr ysgol. Yna, fe ddigwyddodd rhywbeth rhyfedd iawn.

O'r tu ôl i'r planhigyn ar y ffenest fe ddaeth anghenfil pitw bach, bach, bach gyda gwallt gwyllt, dannedd pigog, crafangau miniog a chynffon hir.

'Beth am hedfan?' meddai'r anghenfil.

'Wrth gwrs!' meddai Nia.

Ac i ffwrdd â nhw ar antur arbennig iawn . . .

ISBN 1 84323 351 7 Pris: £3.99

Trip ysgol i amgueddfa i weld deinosoriaid! ''Na ddiflas,' meddai Alys. Gorfod eistedd ar bwys Miss Jones ar y bws mini. ''Na ddiflas,' meddai Alys eto.

Mae pecyn bwyd gan bawb yn y dosbarth – heblaw am Alys. ''Na ddiflas.'

Ond yna mae iguanodon cyfeillgar yn ei helpu. Doedd dim arian gan Alys i brynu llyfr na sticer na deinosor bach rwber. Ond doedd dim ots ganddi. Roedd hi newydd cael pecyn bwyd gan ddeinosor!

Pan ddihunodd Alys y bore wedyn fe gafodd syrpreis mawr – a doedd dim byd yn ddiflas y diwrnod hwnnw.

ISBN 1 84323 350 9 Pris: £3.99

Doedd Bili Jones ddim yn seren ar ddechrau'r stori. Roedd gweddill y Jonesiaid yn gerddorol iawn ac yn dwlu ar berfformio. Ond ers iddyn nhw symud tŷ, roedd Emma wedi stopio canu. Roedd hi'n treulio'i hamser yn sgrifennu llythyron, ac yn gadael i Bili eu harwyddo gyda'r stamp swyn. Felly, sut daeth Bili'n seren? Mae'r ateb yn y stori hon . . .

ISBN 1 84323 492 0 Pris: £3.99